LA VOZ DE LA LUZ

ALTO EL PERÚ

JULIO CORTÁZAR
MANJA OFFERHAUS

siglo
veintiuno
editores

siglo veintiuno editores, s.a. de c.v.
CERRO DEL AGUA 248, DELEGACIÓN COYOACÁN, 04310 MÉXICO, D.F.

siglo veintiuno de españa editores, s.a.
CALLE PLAZA 5, 28043 MADRID, ESPAÑA

diseño gráfico de carlos palleiro
fotografías de manja offerhaus y julio cortázar por carol dunlop

primera edición en español, 1984
© editorial nueva imagen, s.a.

segunda edición en español, 1994
© siglo xxi editores, s.a. de c.v.
isbn 968-23-1937-4

Sin que nada de esto tenga mayor importancia, creo que hay aquí toda la libertad posible entre dos maneras de ver que confluyen sin confundirse, que se alternan, se contestan y se funden como a lo largo de una sonata para dos instrumentos.

No sé demasiado cuál es el estado de ánimo de Manja Offerhaus cuando toma sus fotografías; por lo que se refiere a mí, una vez más me ha ocurrido no tener ninguna idea precisa al escribir lo que sigue. Las imágenes preceden por varios años al texto, y entre nosotros no hubo el menor acuerdo previo en el sentido de un reportaje o una encuesta; el resultado es que imágenes y palabras se imbrican a su manera, y si las palabras no son un comentario, las fotos no son una ilustración; juego de espejos o cajas de resonancia, unas ahondan en otras y las devuelven con un aura diferente.

No es la primera vez que intento lo que llamo textos paralelos, pero ya se ve que en este caso el paralelismo es más que dudoso y en todo caso extremadamente einsteiniano: todo converge y diverge, todo va y viene (o busca ir y venir) de la mirada que entra en un campo de tres dimensiones a la que recorre ese hilo tipográfico que se resuelve en signos descifrables. Si en los dos casos hay comunicación, la índole del contacto de la mirada con una imagen o con una serie de palabras crea siempre una distancia, una especialización; precisamente por eso aquí se busca fusionar lo más posible esos significantes tan disímiles pero cuidando de no confundirlos ni derogarlos. Creo que ambos siguen plenamente abiertos; hay esa apertura a la que incita la fotografía cuando arranca una escena al tiempo y al espacio y la propone en un plano y una duración diferentes, y hay la apertura de un lenguaje igualmente instigador de un tiempo y un espacio diferentes, pero de adentro.

El poeta, contradicción permanente, teje el poema con las arañas pero a la vez quisiera las cosas fuera de la tela, las cosas moscas en su libre vuelo. Sabe que de alguna manera mata las cosas al nombrarlas (Rilke *dixit*) y por eso, ya que no puede no tejer la tela, multiplica las oportunidades de la distracción, mezcla las barajas del presente, cambia los sentidos, enloquece las agujas de marear, confunde entrar y salir, cara y cruz, arriba y abajo.

Así por lo menos –esto yo se lo estaba diciendo a Manja Offerhaus la tarde en que me mostró sus fotos del Perú– se abre para el poeta un margen de libertad al precio de un posible error, sin el cual su realidad se volvería mera máquina. A esta altura de mi vida, date cuenta, no puedo aceptar una araña para cada mosca, es decir que las acepto puesto que las estoy escribiendo (un año después de esa tarde al comienzo del párrafo, lo que forma también parte del desbaraje deliberado) pero hago todo lo posible para que las arañas se equivoquen de mosca y caigan sobre otra cosa.

—Un fotógrafo no puede permitirse eso —me dijo Manja esa tarde—. Si las fotos le salen movidas, kaput. Vos en cambio quisieras escribir movido, si entendí.

—No es tanto el escribir, porque ahí se trata de comunicar y del otro lado hay alguien que espera la comunicación y no se le puede hacer trampa. Las rupturas tienen que ocurrir antes, y al menos para mí tienen que ser precisamente eso que después te llevará a escribir. Date cuenta de que escribir con cada araña sobre su mosca es la función científica del lenguaje y no la mía como comprenderás; cuando te hablo de comunicación me refiero a huecos, a pasos, a prismas, a rebotes, a refracciones, otras tantas arañas para insinuar lo que falta o lo que sobra en una comunicación usual. Entonces pasa que los ojos aprovechan la volada, se van por ahí sin caer en la tarea que el resto del sistema espera con su insaciable sed de estructuras, de codificaciones instantáneas.

—Hum —dijo Manja.

—Pensá simplemente en esto: V*eo abrirse la puerta, y entra don José Fernández.* Informativamente perfecto, pero minga, Manja, como decíamos los chicos de mi tiempo; hay tanto más y tanto otro, en realidad los ojos que ven abrirse la puerta asisten a un vertiginoso juego de luces y desplazamientos de planos (te pongo algunas arañas para que nos entendamos, qué otra cosa puedo hacer). Lo que realmente ocurre sería algo así como un blanco frontal rectangular pasando a arista grisácea, luz antes estrellada contra plano blanco frontal resbalando hacia atrás mientras fondo oscuro (arañas: biblioteca en la pared del fondo del cuarto contiguo) aumenta a medida que el plano blanco cesa de ser frontal para angostarse cada vez más en arista grisácea, negro llenando el ex blanco, una cosa por el estilo y faltan horrores.

—Por ejemplo don José Fernández —dice Manja.

—Ah, don José. Cilindros óvalos pistones (Marcel Duchamp lo mostró bajando una escalera, y Balla, me parece, o Severini) en movimiento intercomunicante, fluencia proyectándose hacia aquí, cilindro izquierdo en retrogradación seguido de cilindro derecho en propulsión, compensándose. No me mirés así, te regalo en seguida las arañas correspondientes: don José mueve las piernas, puesto que entra.

—Es más fácil que de la otra manera, admitilo.

—En la facilidad se agazapa la nada. En fin, esto no pasa de un simple ejemplo de cuando los ojos rompen el *feed-back*. Vos y yo nos debemos el vivir así, desde una cámara o una escritura, o por lo menos jugar lo más posible con las arañas, cambiarles las moscas, multiplicarles las telas y los saltos, don José es tanto más y otro que don José.

—Son cosas que dan sed —dice Manja.

—Libemos, mea Lesbia, pero ya ves, no esperes de mí demasiada coherencia.

—Te conozco —suspira Manja—, por eso te traigo de cuando en cuando mis fotos, para ver si te fijo un poco. Cada cual sus arañas, ya lo dijo no sé quién.

Como se ve (cuánto se habla de ver, aquí)
empieza sobre una mesa, entre las manos,
cartulinas tiradas en la alfombra; en cualquier
momento hay ese desplazarse que de
distracción y gin-tonic se alimenta, que ingresa
en otra curva de la espiral y ya:
Pagaré o no la cerveza en el bar de la estación,
caliente y repleto estará el tren, a lo largo de un
pasillo polvoriento veré sucederse las puertas
de los compartimentos, los acuarios secos con
más allá la ventanilla donde resbalan álamos,
colinas y casas cenicientas. Tren peruano es
casi siempre tren repleto, en la aplastada
soledad del altiplano entre Arequipa y Puno la
moviente acumulación de hombres y mujeres
prensados y procesados en las jaulas de madera
y hierro, cotidiana densidad de población
rodante a cuyos lados se abren los desiertos
rosa y pardo tendidos hasta el repulgo de los
montes, allí donde no vive nadie.

Ella duerme en el ángulo de la ventanilla, su niño de ojos abiertos entra acaso en el calidoscopio naranja y verde de la cortina recogida en abanico, cada círculo otro ojo con una pupila tan oscura como la que lo está mirando, y entre la madre y el niño el ojo ciego del seno descubierto, su pupila rosada viéndome llegar, sentarme en la banqueta de enfrente, mirón de eso que mira, el seno curtido y estropeado de la muchacha dormida, astro diminuto en torno al cual se diría que las dos cabezas giraban armoniosas hasta que mi llegada las fijó en lo alto y lo bajo, sueño y vigilia como grandes lunas en torno al pequeño sol atezado que un movimiento de la mano ocultará en algún momento, la confusión pasajera, la sonrisa india velada por una distancia que nadie podría medir en kilómetros, en años luz.

—No viste nada de eso —dice Manja— pero era así, la muchacha se despertó y tuvo vergüenza, el niño quería seguir mamando y yo hice un gesto para que la madre no se tapara el pecho, demasiado tarde, yo era la blanca, la turista, hasta el niño parecía darse cuenta.

—¿Por qué no hiciste como ella, por qué no le mostraste un seno para que se sintiera más cerca?

—No hubiera comprendido, tonto. Se habría creído insultada, algo así.

Tiene razón, si al abrir los ojos la muchacha me hubiera encontrado en el compartimento todo se habría coagulado instantáneamente en torno a ese seno desnudo y rápidamente tapado; el resto hubiera sido disimulo, incomunicación y vergüenza. Ahora queda solamente la imagen de antes, invariable para siempre en su ritmo de cabezas girando en torno al diminuto sol de oscura piel. Ese tren habrá viajado ya muchos cientos de veces de Arequipa a Puno, el niño ya no mama y su madre puede dormirse sin mostrar involuntariamente el pecho; los dos andarán acaso de la mano por una calle de aldea, comiendo en familia, trabajando o mendigando, ya tan ajenos a esto sobre una mesa de París.

—Es cierto —dice Manja—, nunca me siento
muy bien después de hacer una foto como ésa,
y sin embargo las hago y las expongo, me
protegen la distancia y el anonimato recíproco,
ella no se verá nunca así y entonces pienso que
de alguna manera puedo decirme que no será
nunca eso, que la foto no le concierne tanto.

—Cuántos biombos.
—¿Y vos, tus personajes?
—Mal de muchos...
—Hablamos apretado, eh.

—Que los interesados descifren —resumo ya
por fuera del diálogo, viendo venir el borde del
barranco y las construcciones de adobe como
que se echaran atrás, al filo del derrumbe. No
preguntaré por ese fondo que hace pensar en
una presa, con peldaños en lo alto, paredón de
concreto cerrando toda retirada a los ranchos
amontonados en una especie de espera de
caída; atrás es lo moderno, sin duda zona
blanca: un primer muro de ladrillos alzado por
alguien con diploma acentúa aún más la
fractura del tiempo histórico, la miseria
acorralada.

Bajaré en la estación después del puente y
encontraré el lugar, me guiarán el olor y las
ropas secándose; nadie parece habitar de veras
ahí, refugio de vagos zombies, pero están los
viejos sentados en los pisos de tierra, están las
gallinas y esa niña con el pómulo hinchado que
lleva ya sobre los hombros la manta donde un
día cercano meterán a un hermanito para que lo
cuide.

—¿Qué te pasa en la boca?

Tiene miedo, alza un segundo los ojos y apunta
al pómulo con un dedo. ¿Te van a llevar al
dentista?, no pregunto. ¿Te van a llevar al
hospital?, tampoco (quizá la llevaran pero no
hay que decírselo). ¿Te duele?

—Y sí.

Acepta las monedas, siempre sin mirarme, me
he portado muy bien dándole las monedas,
ahora puedo servirme otro trago y mirar la hora,
la película de Fassbinder dentro de cincuenta
minutos.

Anoche nevó en París, habrá que sacar de la naftalina la canadiense y una bufanda. Pero sobre todo no puedo quedarme en el compartimento donde la muchacha india va a despertarse en cualquier momento, mejor seguir hasta los vagones de cola apartando espaldas y sombreros, pidiendo disculpas en una lengua extranjera, el español. Aire de arena caliente, de condimentos pegados a los ponchos y a los sacos; cuando hago alto para encender otro cigarrillo contra el olor a viaje, una muchacha con un niño a la espalda murmura una excusa y sigue adelante. ¿Te duele? Y sí. Tal vez la misma niña pero ya no con el hermanito, ahora es su hijo; manta blanca, pelo negro, ninguna diferencia salvo que Manja tomó las dos fotos el mismo día y en el mismo tren, pero qué importa cuando desde Puno a Arequipa no hay tiempo alguno, todo lo mismo, blanco y negro, madres y niños intercambiablemente. Y sí, claro que duele. Monedas en algunos casos, cuando son chiquitos. De los grandes se ocupa el gobierno, como es natural.

Al final no fuimos a ver la película de Fassbinder porque la mesa y la alfombra estaban llenas de fotos y el tren seguía comiendo lentos kilómetros de polvo y de cansancio, Manja se acordó de una cita en el Odeón y se fue por un rato, desde el estribo del vagón de cola se abría un perfecto balcón turístico sobre la familia sentada junto a las vías, cebollas y cacharros y más que nada sombreros, allí lo primero parece ser siempre eso, la no solamente necesidad de llevar sombrero sino su significación, su función dentro de un código que abarca toda la estructura junto con el poncho, los perros, el silencio, el destiempo si se mide desde nuestro tiempo y gracias a Lévi-Strauss. Ah, y la mirada hacia abajo (sólo los niños, a veces...), la espera desesperanzada, el arrastrarse pegajoso de un presente: maíz, cebollas, cacharros, todo en venta antes y después del tren, todo lentamente en venta dentro de una desmultiplicación que la llegada y la partida del tren sólo vuelven nítida para los demás, para ese inglés con la cámara Canon y esa francesa que cotorrea lugares comunes con un marido probablemente farmacéutico. Y yo, entonces, y Manja perdida en algún pasillo o subida al techo de un vagón, nosotros los de este lado, nosotros tiempo y destinos corriendo y aguardando, nosotros agua colonia.

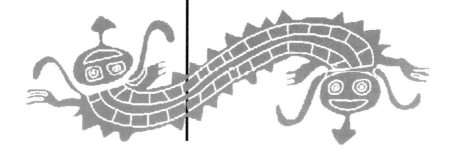

Como algunas pesadillas en que un resto de conciencia ayuda a despertar, a sacudir la cabeza fuera del horror o la frustración, ahora hay ese cerdo que hoza junto a las vías buscando qué, buscando la nada entre piedras de balasto y esos rieles junto a los cuales una mujer de espaldas espera con su mísera oferta de choclos que el tren (¿pero cuántos trenes pasan diariamente por aquí, cuántas veces se rompe la soledad del páramo?) traiga a alguien vestido de ciudad que saque unas monedas a cambio de las mazorcas, aunque nadie de la ciudad comprará maíz, será gente de otro pueblo, los iguales para quienes cada moneda —eso se llama sol en el Perú, eso insulta doblemente a quien necesita el dinero— pesa preciosamente en el bolsillo y sólo lo abandona en último extremo, cuando inevitablemente hay que sacar y sopesar y calcular y tender mientras la mujer cuenta también los choclos y todo se cuenta y se calcula y penosamente se intercambia, entonces como en algunas pesadillas en que un resto de conciencia ayuda a despertar, a sacudir la cabeza fuera del agua del espanto o la vergüenza, así de golpe el cerdo hozando en las vías se me vuelve insoportable y aparto los ojos y es el borde de la mesa, el vaso de whisky con hielo y más allá una estantería de la discoteca, leo Purcell, leo Stan Getz, leo *Sonatas para violín solo* a veinte centímetros del cerdo hozando en las vías, de las mazorcas y el bulto donde la mujer guardará vaya a saber qué pero no Purcell ni las sonatas, desde luego no estoy en el tren ni en el andén de la estación, es mi casa a la salida de la pesadilla pero cuál es realmente la pesadilla, cómo es posible pasar del cerdo a Purcell sin preguntarse al menos desde un insondable fondo por el derecho a hacerlo,

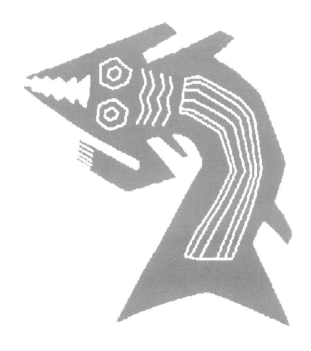

la enteramente inmerecida concatenación de azares que me ponen del lado de Purcell y no del cerdo hozando en las vías, eso que despúes llamaremos mala conciencia y de la que nos desprenderemos con un encogimiento de hombros y bueno, tampoco es cosa de asumir los pecados del mundo, ni Marx ni Gandhi fueron tan lejos, che, asumir los cerdos que condensan injusticia y abandono y despojo y alienación, tampoco es cosa de ir al cine para ver la película de Fassbinder (mañana, hoy ya es tarde) vestidos de harapos como la mujer del hato y el bastón que ahora pasa cerca de la pata de elefante de un árbol (¿y qué son esos adornos, esas rodelas, qué son esos escudos swahilis micénicos masai toltecas víkings quechuas, bellísimos ahí al fondo con sus signos negros como mariposas de muerte?), desde luego no hay ninguna razón para que también la manga de nuestro saco esté como acuchillado de miseria, casi hermosamente zanjado por roturas que la mujer no piensa ya en remendar mientras avanza, otra vez figura de pesadilla con la mirada fija en una meta incognoscible que puede ser la nada o el horizonte de los cerros que es lo mismo, el hambre sin forma llenando el aire y un tiempo que se prolongarán hasta quién sabe, la esquina, el hospital, grande es el mundo de los pobres, muchas las piedras donde sentarse gratis, los catres donde morir aunque morir no se dirá casi nunca, se dirá cerrar los ojos, se dirá la abuela cerró los ojos, se dirá la hermanita se fue, se nos fue la hermanita, le dio un pasmo, el destino.

Pero escribir cansa, finalmente encontraré un compartimento en el vagón de cola, podré fumar y estirarme y ser eso que da sentido a una ventanilla por donde pasan ahora montes y pedregales y espejismos de lagos rosa y plomo, un derroche inextinguible, inaprovechable si no hubiera ahí alguien para ir fijando con arañas las cosas que el marco de la ventanilla (de mis fotos, diría Manja indignada) encuadra y deja a la vez, atrapa y libera instantáneamente para darle a la memoria la ocasión de jugar, esto sí y esto ya no, recuerdo y olvido como absurdos iguales, opciones gratuitas ahí donde ese que mira pondrá el acento en la opción, se creerá más fuerte que la nada entre Arequipa y Puno, pobre hombre.

—Se trepó al cerro —le diré a Manja ya de regreso—, es el mismo caserío de antes pero ahora se ha trepado al cerro con sus ropas tendidas, los ladrillos y los techos encaramándose al asalto de ese cielo de estaño.

—No es el mismo, parece mentira que...

—Sí es el mismo. Siempre es el mismo en nuestros países.

No lo es, claro, de golpe da casi risa mirar ese remedo de pirámide, ese Tiahuanaco de papel maché, Valparaíso de bolsillo (de bolsillo roto) con algo que podría ser una cruz allá a la derecha y que sin duda no lo es, qué importa en el Perú se diría que el padre Valverde no ha muerto del todo entiendan los que puedan y sobre todo los que quieran entre los que no se contarán ciertamente aquellos que cristianamente visitan a sus muertos, la familia endomingada alzando los ojos hacia el nicho donde reposa doña Manuela Rodríguez Zum de Chávez.

Pero la niña no. La niña no mira los nichos, me está mirando a mí desde un puente vertiginoso que la arranca a esa obligación de pasado pasivo en que se mueven sus padres, la lanza hacia el objetivo cromado que la volverá imagen activa y la hará viajar de Puno a esta casa donde ya no hay objetivo cromado ni viaje, donde ella y yo estamos frente a frente y ella me mira como miró hacia lo que sería un futuro inconcebible en el momento en que el puro presente de la cámara la inmovilizaba. Yo soy su futuro y ella mi pasado, algo que sucedió hace dos o tres años; toda foto es la intercesora de esas operaciones del tiempo mental que los relojes y los calendarios desmienten; ¿pero dónde están los calendarios y los relojes si no transcurren en lo mental? Cuando Carlos Gardel canta que *veinte años no es nada*, está más cerca de Heráclito y de Heidegger que el imbécil que se sonríe ante esta frase. La fotografía, Manja, no congela el tiempo como suele decirse; muy al contrario, lo libera de su versión primaria, nos lanza a esa indiecita y a mí a un vértigo de espejos y de lásers, a una no mensurable cetrería a espaldas del presente donde una pareja también de espaldas busca con el recuerdo a Manuela Rodríguez Zum de Chávez.

Será quizá por eso que Manja se fija sobre todo en los niños, de sus viajes ha ido trayendo imágenes afganas, persas, hindúes, cretenses y peruanas de niños callejeros, de pequeños mendigos padres de los mendigos del mañana. No termino de decirlo y ya está ella toda uñas afuera imprecándome: no habrá mendigos en el mañana, en el mañana estas imágenes serán las figuras rupestres que otros niños verán en los museos, objetos de horror y asombro.

Pero claro, muchacha, solamente que mañana es una palabra oscura, una tableta mántica, un vuelo de aves que se desvanece en el poniente antes de que el augur descifre su moviente código. Sigue, Manja, acumulando esas fotos de niños a los que ningún Jesús invita a venir (la Unicef y algunas señoras hacen lo que pueden, claro), muéstralas en todas las paredes de la tierra que todavía no hayan sido demolidas por las bazookas del desprecio. Mira cómo esa peruanita tan quieta en una esquina con su bolsa de pan (que ya es mucho, si es de ella) intenta una sonrisa tras de la cual cabrillea una esperanza de monedas y también de caricias porque tú eres rubia y buena, Manja, los niños se dejan fotografiar por ti como si comprendieran que tu cámara vale más que los discursos de los ministros; solamente que, fíjate bien, ahí a los pies, en el cordón de la acera, ¿ves las dos cruces, Manja, ves las dos cruces?

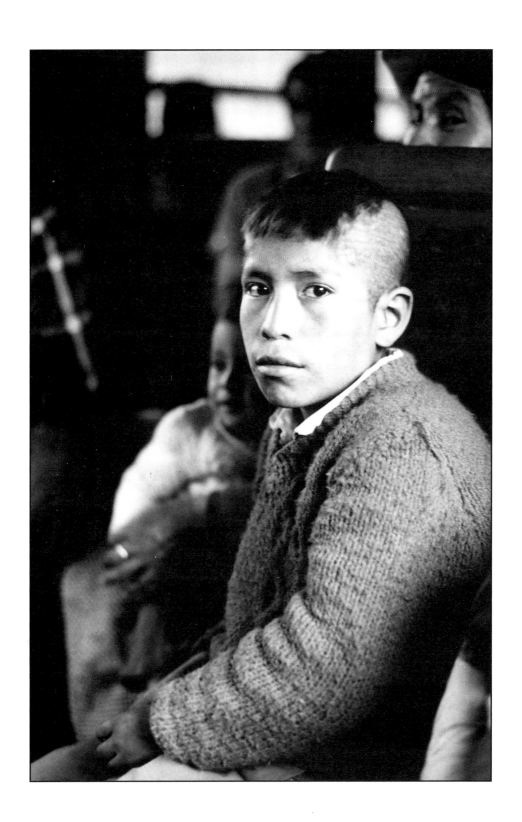

Sospechoso, extranjero, bien vestido, hasta el final me seguirán miradas que concentran toda la sal, el viento, las osamentas del altiplano. Los viejos, alguien que se asoma apenas desde el respaldo del asiento, más atrás acaso un fantasma, un muerto anónimo que viaja como una concreción de tantos horribles recuerdos escondidos en esas caras vueltas hacia adentro, huelgas acabadas a palos, guerrillas liquidadas a punta de ametralladora, y detrás y adelante el hambre, el silencio, la incomunicación, indios y blancos, peruanos de hecho y peruanos de derecho, América Latina. Y entonces cuando ya voy a bajarme, los ojos de ese chico entrándome como un mensaje sin palabras, yo que empecé este viaje contra ellas, buscando la manera de que escribir fuese otra cosa. Cómo pudo quedarse así frente a tu cámara, Manja, cuánta desesperanza lo habitaba para encararte así con ojos de vidrio y esa boca apretada en torno al silencio, esa piel castigada por inclemencias y bofetadas.

—No me dijo nada, me acuerdo bien. Solamente me miró, me dejó tomar la foto sin moverse. Me hubiera dejado tomarle cien fotos sin moverse.

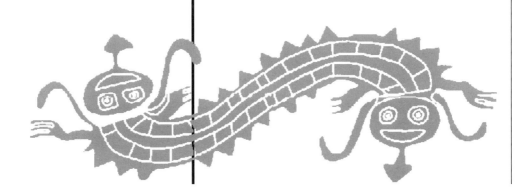

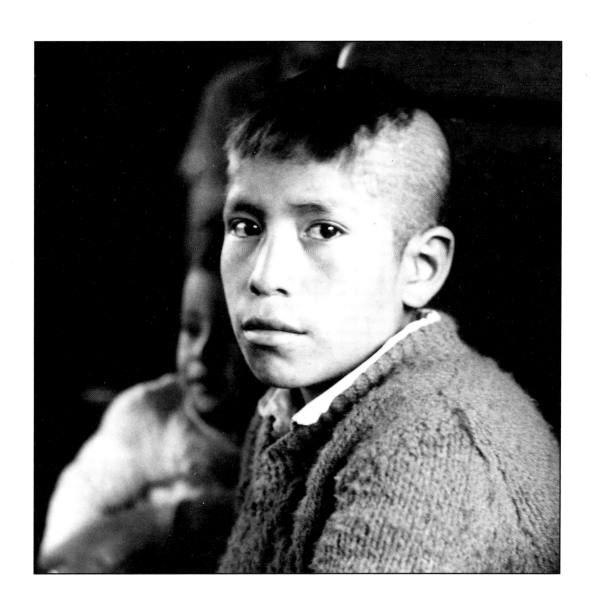

Sí, Manja, pero detrás de él hay un niño pequeño. Fuera de foco, ignorante de lo que sucede, algo hay en su cara que lo cambia todo, un esbozo de sonrisa, una piel luminosa, una ternura de cordero entre esas pieles secas y esa lenta dignidad amarga. Tómalo en tus brazos, bajémonos del tren, llevémoslo a jugar. Un gran baño tibio, tú lo lavarás y yo lo arroparé. Es un buen fin de viaje, después de todo no importa haber perdido la película de Fassbinder; habría que perder tantas cosas para ganar esa sonrisa que se abre paso desde la noche, desde esas otras caras donde interminablemente habita la espera; perder tantas cosas, aquí y ahora, para que ese asomo de sonrisa pueda entrar de lleno en la realidad, ser el Perú y el mundo.

—Sí —dice Manja. —Sí, claro. Pero si yo me hubiera traído un niño de cada viaje...

—Ya lo sé. Pero a tu manera los trajiste. Y esto también lo hacemos ahora a nuestra pobre manera.

—No es un consuelo, lo sabes.

—Lo sé. ¿Qué puede consolar al escritor cuando escribe solamente esto, qué puede consolarte cuando ves nacer tus imágenes?

—Que otros lean, tal vez. Que otros miren.

Es tarde, nieva un poco.

MANJA OFFERHAUS

Lo que busca Manja Offerhaus es penetrar, a través
de la fotografía, en la existencia de los hombres,
sorprenderlos en su entorno, en los gestos de la vida
cotidiana en la esquina de una calle, en el taller o la
tienda, en la casa y por fin en la multitud.
Prescindiendo de todo artificio estético, descubre
siempre la autenticidad de los gestos y de las
expresiones.
Nacida en Amsterdam, Manja Offerhaus vive en
París y ha recorrido no pocos países en busca de una
imagen profunda de sus gentes y de sus maneras de
vivir y de amar. Su enfoque es siempre instantáneo,
sin preparación ninguna, un poco como si los
fotografiados lo fueran por gusto, por el placer de la
verdad.

(de un texto de Julio Cortázar)

Sus fotografías han sido objeto de numerosas
exposiciones individuales y colectivas, sobre todo
en Francia, la Argentina, México, los Países Bajos
y la República de Letonia.
Han ilustrado diversos libros y artículos de revistas,
así como guías de viaje intituladas: *Syrie-Jordanie*,
Yougoslavie y *Yemen* (Ediciones Arthaud).

texto compuesto en times
por carlos palleiro
impreso en editorial a todo color,
diligencias 96, san pedro mártir
14650 méxico, d.f.
dos mil ejemplares y sobrantes
30 de octubre de 1994